nivel **A2** colección grandes

García Márquez

UNA REALIDAD MÁGICA

difusión

COLECCIÓN GRANDES PERSONAJES

Autora: Cecilia Bembibre
Coordinación editorial: Emilia Conejo
Supervisión pedagógica: Cecilia Bembibre
Glosario y actividades: Cecilia Bembibre
Traducción del glosario: Jean-Christophe Haultecoeur (francés),
Stuart McInnes (inglês) y Pablo Manzano (alemán)
Diseño y maquetación: Lucila Bembibre
Corrección: Esther Cámara
Ilustración de portada: Joan Sanz
Fotografías:
© Chantal de Bruijne / Shutterstock.com, max blain / Shutterstock.com, Penguin Random
House, AFP/Getty Images, Getty Images, Time & Life Pictures/Getty Images, Cover/Getty
Images, Manuel LITRAN/PARISMATCH/SCOOP
© Relato de un náufrago. Crónica de un hombre a la deriva en altamar. Imagen de
El Espectador publicada en la biblioteca virtual Luis Ángel Arango.
© Difusión, Centro de Investigación y Publicaciones de Idiomas, S.L., 2014
Locución: Ana María Acosta

ISBN: 978-84-16057-34-4
Depósito legal: B 6080-2014
Reimpresión: diciembre 2018
Impreso en España por Servinform
www.difusion.com

C/ Trafalgar, 10, entlo. 1ª
08010 Barcelona
Tel. (+34) 93 268 03 00
Fax (+34) 93 310 33 40
editorial@difusion.com

www.difusion.com

Índice

García Márquez, con una edición especial de Cien años de soledad.

Gabriel García Márquez

Escritor

«*El deber de los escritores no es conservar el lenguaje, sino abrirle camino en la historia*».

Introducción

G abriel García Márquez es uno de los escritores más conocidos[1] en lengua española. Sus cuentos[2] y novelas venden millones de copias en todo el mundo. Sus artículos periodísticos han contado la realidad latinoamericana durante más de 60 años. Pero el verdadero[3] impacto de García Márquez, o Gabo, como lo llamaban sus amigos, no se puede explicar sin sus lectores[4].

«Leer a García Márquez y quererlo es algo que sucede al mismo tiempo», dice la escritora mexicana Ángeles Mastretta. «Uno lo admira con la misma naturalidad que a las jacarandas[5], y del mismo modo se acerca[6] a su prodigio. Lo quiere como a la luna. Ahí está. Es un escritor generoso y cercano como no hay otro».

Tiene lectores en muchos países, de diferentes edades y que hablan idiomas distintos. En internet hay miles de páginas con frases, personajes queridos y homenajes en forma de texto, música, cómic y vídeo.

Gabo fue un escritor querido, un creador de ilusiones y una fuente[7] de inspiración. Sus historias hablan de una Latinoamérica misteriosa y mágica, donde todo es posible. Donde el aire está

---

[1] **conocido:** famoso [2] **cuento:** narración breve de ficción [3] **verdadero:** real, auténtico
[4] **lector:** persona que lee [5] **jacaranda:** árbol americano, de flores azules [6] **acercarse:** aproximarse, ir más cerca [7] **fuente:** (aquí) origen, inicio

lleno de mariposas amarillas, donde el pelo crece aún en el cuerpo de una niña muerta y donde los héroes de la historia de la región tienen miedo al fracaso[8].

En paralelo a su carrera[9] como escritor de ficción, García Márquez trabajó como periodista para distintos medios de comunicación colombianos e internacionales.

También habló públicamente sobre sus ideas políticas, su apoyo a varios movimientos de izquierdas y su visión sobre la identidad de Latinoamérica.

Este libro empieza en Aracataca, el pueblo colombiano donde los padres de Gabo se conocieron y se enamoraron. Continúa con la infancia del escritor, en la casa de los abuelos, y cuenta cómo un diccionario cambió su vida.

La juventud de Gabo, marcada por los cambios de ciudad, en medio de una época violenta en la historia colombiana, es esencial para entender sus intereses y sus pasiones. Una de las fuentes de este material son los propios recuerdos del autor, que escribe en su libro de memorias *Vivir para contarla*.

En los capítulos 2 y 3 de este libro contamos cómo García Márquez se convierte en escritor y periodista, observa y cuenta la realidad, y empieza amistades[10] que van a durar muchos años.

El capítulo 4 lo encuentra en Europa, adonde viajó en 1955 para trabajar como periodista. Y lo sigue después a México, donde escribió *Cien años de soledad*, la novela que lo hizo famoso.

Su historia como ganador del Premio Nobel y su parte en el fenómeno editorial conocido como «el boom» latinoamericano son los temas principales del capítulo 5. En él se habla también sobre la relación entre Gabo y el líder cubano Fidel Castro, una amistad pública que ha sido muy criticada en los últimos años.

El capítulo 6 explora otras actividades profesionales del autor, como su constante apoyo[11] al periodismo, al que llamó «el

---

[8] **fracaso:** resultado negativo [9] **carrera:** historia profesional [10] **amistad:** relación de afecto con una persona [11] **apoyo:** respaldo

mejor oficio del mundo», a través de clases y premios a jóvenes reporteros. También se habla sobre sus originales opiniones acerca de la ortografía.

Finalmente, el último capítulo recoge opiniones de sus amigos y críticos, y analiza la influencia de su obra en las nuevas generaciones de artistas.

En 2012, Jaime García Márquez, hermano menor de Gabriel, contó públicamente que Gabo tenía problemas de memoria debido a su edad, y que por eso ya no escribiría más. Miles de lectores comentaron la noticia, publicada en el periódico español El País, y luego en la prensa de todo el mundo. «Es una noticia triste», escribieron unos. «Gracias, Gabo», dijeron otros. Poco a poco, lectores de todo el mundo escribieron distintas versiones del mismo comentario. «Tenemos que leer sus libros», dijeron. «Tenemos que leerlos una y otra vez, para no olvidarlo».

El 17 de abril de 2014 Gabriel García Márquez falleció a la edad de 87 años en México D.F.

Una calle en Santa Marta, Colombia.

1. La vida en Aracataca

«Macondo es la versión poética de Aracataca»

Luisa Santiaga vivía en Aracataca, un pueblo del Caribe colombiano. Era joven, hermosa y estaba enamorada[1]. Su novio se llamaba Gabriel Eligio. Era colombiano, como ella, y tocaba el violín estupendamente. Había un solo problema: la familia de Luisa no quería a Gabriel. Los padres de la chica no estaban de acuerdo con la relación, porque pensaban que el joven no era serio.

Luisa pertenecía[2] a una familia tradicional del pueblo. La gente respetaba mucho a su padre, Nicolás Márquez, un coronel retirado. Su madre, Tranquilina (o Mina, como la llamaban todos), era una mujer práctica y de carácter fuerte. Además de Luisa, Nicolás y Mina tenían otros dos hijos: Juan de Dios y Margarita María. La familia vivía en una casa enorme, con un gran patio y muchos cuartos.

Para distraer[3] a su hija, que ya hacía planes de boda con Gabriel, los padres de Luisa hicieron un largo viaje con ella hasta el pueblo de Barrancas, a casi 300 kilómetros de Aracataca. Pero Gabriel, quien trabajaba en la oficina telegráfica, enviaba mensajes

---

[1] **estar enamorado:** sentir amor por una persona [2] **pertenecer:** ser parte de [3] **distraer:** llamar la atención con otra cosa

telegráficos para Luisa a todos los pueblos por los que pasaba la familia. Ella los leía en secreto y estaba cada vez más enamorada. Finalmente, un cura[4] amigo de la familia habló con Luisa y Gabriel, y después escribió una carta a los padres de la chica. Allí, les decía que el amor de los jóvenes era muy fuerte, y que nadie podía separarlos. Al recibir la carta, los padres estuvieron de acuerdo con la boda. Luisa y Gabriel se casaron[5] el 11 de junio de 1926 en Santa Marta, Colombia.

Al año siguiente, Luisa tuvo su primer hijo (¡el primero de once!). Gabriel José de la Concordia García Márquez nació el 6 de marzo de 1927 en Aracataca.

En 1929, los padres del niño se mudaron[6] al pueblo de Barranquilla para abrir una farmacia. Gabriel se quedó a vivir con sus abuelos en la gran casa de Aracataca.

Desde muy pequeño, Gabriel tenía una gran imaginación. Le encantaba hacer dibujos e imaginar historias. Su abuelo, a quien llamaba «Papalelo», le contaba cuentos y lo llevaba al cine, al circo y a ver las partidas[7] de ajedrez que jugaba con su amigo «el Belga».

Las mujeres de la familia tuvieron una gran influencia en el niño. Su abuela, sus tías y las empleadas domésticas[8] vivían en un mundo maravilloso lleno de supersticiones, secretos familiares y talentos prácticos. Todas las tardes, se sentaban a conversar en el patio a la hora de la siesta. El pequeño Gabriel era el único hombre que se sentaba con ellas.

La gran casa familiar estaba siempre llena de visitas que llegaban a Aracataca en tren. «Más que un hogar, la casa era un pueblo», dijo el escritor.

A los cinco años, el pequeño Gabriel tuvo entre sus manos, por primera vez, un diccionario. Muchos años después, el escritor

---

[4] **cura:** sacerdote, hombre religioso [5] **casarse:** contraer matrimonio [6] **mudarse:** irse a vivir a otro lugar [7] **partida:** juego [8] **empleada doméstica:** persona que hace la limpieza en una casa a cambio de dinero

recordó ese importante momento: «fue como asomarme[9] al mundo entero por primera vez». Al niño no solo le interesaban las palabras. También adoraba la música. Escuchaba las canciones populares, oía cantar a las mujeres en la cocina de la casa y disfrutaba los tangos de Carlos Gardel. A veces, se vestía como un cantante de tangos y cantaba en fiestas. En esta época, Gabriel empezó a ir a una escuela que seguía[10] el método Montessori. Allí, las clases no eran tradicionales: este método consiste en dar al alumno un espacio para desarrollar[11] libremente la inteligencia y la creatividad. El autor opina que el método es excelente «para despertar la curiosidad por los secretos de la vida».

Cuando Gabriel tenía ocho años, su abuelo murió. El niño se mudó a Barranquilla, donde la familia se instaló en una nueva casa. Gabriel empezó las clases en la escuela primaria Cartagena de Indias, a diez cuadras[12] de su hogar. Era un chico tímido, interesado en los libros y excelente alumno. En sus ratos libres, iba al cine con su hermano Luis Enrique y leía cómics.

La vida no era fácil: su padre viajaba para buscar nuevos negocios, y en la casa apenas[13] había comida para cada día.

Las cosas cambiaron cuando el padre de Gabriel abrió una farmacia en Sucre y toda la familia se mudó a esa ciudad. Sin embargo[14], el niño no tuvo mucho tiempo para disfrutar de la vida allí: sus padres decidieron enviarlo a un colegio jesuita en Barranquilla.

Allí, el alumno García Márquez, que tenía ya trece años, se hizo popular por su buena memoria y por los poemas divertidos que publicaba en la revista del colegio. Eso sí: también era famoso por su mala ortografía.

Después de unas vacaciones estupendas, el padre de Gabriel decidió que su hijo iba a continuar el bachillerato en Bogotá.

---

[9] **asomarse:** (aquí) empezar a conocer algo [10] **seguir:** ser fiel a algo [11] **desarrollar:** hacer crecer [12] **cuadra:** espacio entre dos esquinas [13] **apenas:** casi no [14] **sin embargo:** pero

Lluvia en Bogotá.

Las cosas que más impresionaron a Gabriel cuando llegó a la capital fueron la lluvia y el tranvía[15]. Al día siguiente de llegar, se presentó a una beca del gobierno, que obtuvo después de un examen. El joven pasó los siguientes cuatro años estudiando en el Liceo Nacional de Zipaquirá, a una hora en tren de Bogotá. A los 16 años, Gabriel leía prosa y poesía, y escribía poemas. Junto a sus compañeros de bachillerato, creó un centro literario y un periódico escolar. En esa época, y animados[16] por los profesores, los alumnos comenzaron a interesarse por la política. Era el año 1944, y el mundo estaba en guerra. En Colombia, liberales y conservadores discutían sobre sus ideas políticas. Los colombianos acababan de volver a elegir al presidente liberal Alfonso López Pumarejo, pero sectores militares opuestos a él trataron de apartarlo[17] del poder. El 10 de julio de 1944 hubo un golpe de estado[18] en el pueblo de Pasto, en el sur del país.

Mientras el gobierno nacional estaba en peligro, el Ministerio de Educación cerró el periódico escolar de García Márquez y sus compañeros, y el responsable del Liceo dimitió[19]. Los alumnos recibieron con sorpresa la noticia de la reacción del gobierno, porque era un periódico de solamente 200 ejemplares para distribuir entre amigos. «Nos hizo sentir al mismo tiempo humillados e importantes», dijo el escritor.

Unos meses después, García Márquez terminó el bachillerato con excelentes notas y, de acuerdo con el deseo de sus padres, decidió continuar sus estudios en la Universidad de Bogotá. Iba a ser abogado.

---

[15] **tranvía:** tren urbano [16] **animado:** con el apoyo de alguien [17] **apartar:** separar [18] **golpe de estado:** intento de apartar a un gobierno por la fuerza [19] **dimitir:** dejar un puesto de trabajo

pista 03

La masacre de las bananas

Colombia es famosa por su producción de bananas. Esta fruta está en el tercer lugar de las exportaciones de agricultura más importantes, después del café y las flores. La industria bananera empezó a principios del siglo XX. Estaba organizada por la empresa estadounidense United Fruit Company (UFC). Esta empresa producía frutas tropicales en varios países del Caribe y tenía el monopolio de la producción de bananas, que exportaba a EE.UU. También controlaba el transporte de las frutas por ferrocarril y tenía influencia en la política y la economía de los países donde hacía negocios.

El 5 y el 6 de diciembre de 1928, hubo una huelga[1] en esta región, especialmente en el pueblo de Ciénaga. Más de 25 000 empleados de la UFC protestaron para pedir mejores[2] condiciones de trabajo y más dinero. El ejército colombiano interrumpió la huelga y mató a cientos de empleados en la calle (el número nunca se confirmó, pero se calcula que cerca de 3000 muertos). Este evento se conoce como «la masacre de las bananas».

Más tarde, una investigación demostró[3] que el jefe militar local tenía una relación comercial con la UFC.

---

[1] **huelga:** medida de dejar de trabajar por un tiempo para obtener un reclamo [2] **mejor:** más positivo [3] **demostrar:** dar a conocer

2. El joven periodista

«*La mejor noticia no es la que se da primero, sino la que se da mejor*»

L a capital colombiana era muy diferente a Aracataca. García Márquez vivía, con otros estudiantes, en una pensión[1] de la calle Florián, en el centro de la ciudad.
En sus ratos libres, el futuro escritor pasaba las horas en las librerías y los cafés literarios, donde hablaba de literatura con estudiantes y poetas famosos. Sus amigos le recomendaban libros como *Ulises* de James Joyce y *La metamorfosis* de Franz Kafka. «Eran libros misteriosos», dijo.

Inspirado por estas lecturas originales, García Márquez, quien hasta entonces escribía poesía, escribió un cuento y lo envió, con una carta, al periódico El Espectador, el más antiguo de Colombia y famoso por su sección literaria.

Para su sorpresa, el cuento se publicó enseguida[2], con el título *La tercera resignación*. En esa época, según contó en sus memorias, el escritor vivía con tan poco dinero que no tenía los cinco centavos que costaba el periódico. «Encontré a un hombre de la Divina Providencia que se bajó de un taxi con El Espectador en la mano, y le pedí de frente[3] que me lo regalara», recuerda.

---

[1] **pensión:** casa de huéspedes [2] **enseguida:** muy pronto [3] **de frente:** directamente, sin vueltas

Parque de los periodistas en Bogotá.

Los amigos del escritor celebraron su éxito y los escritores de los cafés empezaron a mirarlo con respeto. A ese cuento, siguió otro, también publicado en el periódico. Y luego una crítica positiva del periodista Eduardo Zalamea, que terminaba con la frase «con García Márquez nace un nuevo y notable escritor». Mientras su reputación literaria crecía, sus resultados[4] académicos en la universidad no mejoraban. «No creo haber sido un estudiante de derecho ni un solo día, a pesar de que mis calificaciones del primer año –el único que terminé en Bogotá– permitan creer lo contrario», dijo años después.

El periodismo tampoco le interesaba mucho, hasta que un día leyó un artículo en la revista Sábado que lo hizo cambiar de idea. Se trataba de una entrevista a la cantante y declamadora[5] argentina Berta Singerman. La periodista era Elvira Mendoza, hermana de un amigo de García Márquez. Como Singerman no quiso responder a las preguntas de Elvira por considerarlas tontas, la periodista escribió una crónica de la situación, en la que quedaba claro que la declamadora era una persona difícil.

Al leer esta entrevista, García Márquez se puso «a pensar por primera vez en las posibilidades del reportaje, no como medio estelar de información, sino como mucho más: como género literario», contó.

En la capital de su país, donde existía un espacio público en honor a los reporteros (el Parque de los periodistas), el periodismo era un oficio respetado e innovador.

El interés del escritor por un género de no ficción coincidió con un momento importante en la vida política de su país. Se llamó «el Bogotazo», y es uno de los episodios más violentos en la historia de la capital colombiana.

Empezó con un asesinato, la misma semana en que se realizaba en Bogotá la novena Conferencia Panamericana, una reunión de los principales líderes políticos de la región.

---

[4] **resultado:** logro [5] **declamador:** orador, recitador

Un poster homenaje a Eliécer Gaitán.

El 9 de abril de 1948, el político liberal (y candidato a Presidente de Colombia) Jorge Eliécer Gaitán murió a causa de tres balazos[6] en la cabeza y el pecho. Gaitán era un político muy popular, y dos días antes había estado al frente de la Marcha del Silencio, una manifestación de más de 100 000 personas. Estas protestaban contra el gobierno conservador de Mariano Ospina Pérez y los violentos episodios que ocurrían en distintas partes del país, en los que participaban la policía y el ejército. García Márquez fue a la manifestación, y recuerda que fue «un desfile de duelo[7] por las incontables víctimas de la violencia oficial en el país», realizado en completo silencio.

«Yo había acudido[8] sin ninguna convicción política, atraído por la curiosidad del silencio, y de pronto me sorprendió el nudo[9] del llanto[10] en la garganta», dijo el autor en su biografía.

Pocos minutos después del crimen de Gaitán, una multitud de gente mató a Juan Roe Sierra, el presunto[11] asesino. Así empezó una época de violencia e inestabilidad política que causó más de 3000 muertes en Bogotá y más de 200 000 en todo el país. La Universidad de Bogotá cerró sus puertas por tiempo indeterminado.

Después de estos hechos, la capital se convirtió en una ciudad muy peligrosa, con incendios a edificios (incluyendo la pensión donde vivía García Márquez) y saqueos[12] a tiendas de todo tipo. Cuando la familia del escritor se enteró de las noticias, le dio la instrucción de viajar a Cartagena de Indias, en la costa norte del país. Él obedeció.

Cartagena parecía detenida en el tiempo. Era fácil ver en ella su historia como uno de los puertos más importantes de América, y el tesoro deseado por piratas de varias nacionalidades. Fundada en el siglo XVI por los españoles, García Márquez la encontró en decadencia, con edificios elegantes pero casi en ruinas.

---

[6] **balazo:** herida causada por la bala de un arma de fuego [7] **duelo:** demostración de dolor por la muerte de alguien [8] **acudir:** ir [9] **nudo en la garganta:** emoción que hace difícil el hablar [10] **llanto:** expresión de tristeza con lágrimas [11] **presunto:** potencial [12] **saqueo:** robo

Después de pasar la primera noche en prisión por no tener dónde dormir, el escritor se habituó muy pronto a su nueva vida. Empezó a asistir a clases de segundo año en la facultad de Derecho y a colaborar con el periódico local, El Universal, en una columna con el título de *Punto y aparte*.

También hizo nuevos amigos: periodistas, escritores y poetas, con quien compartió lecturas y noches de fiesta. Al poco tiempo, una pulmonía lo dejó dos semanas en el hospital, y fue a casa de sus padres, a Sucre, para recuperarse. La casa familiar estaba en las afueras del pueblo, frente al río, y era enorme. Tenía un patio con árboles frutales donde vivían patos, gallinas y cerdos. Allí, rodeado de sus hermanos y en medio de las historias fantásticas del pueblo, García Márquez empezó a imaginar una novela sobre la historia de su familia, a la que pensaba poner como título *La casa*.

pista 05

Relato de un náufrago[1]

En 1955, el periódico El Espectador publicó un reportaje periodístico durante 20 días consecutivos. Se trataba de la dramática historia de Luis Alejandro Velasco, un náufrago que pasó diez días en el mar después de caer de un buque[2]. El autor de la crónica era Gabriel García Márquez.

En el artículo, escrito en primera persona, el náufrago contaba los detalles del accidente, y su desesperación al intentar sobrevivir en una situación extrema, sin agua, sin comida y rodeado de gaviotas[3] y de tiburones. Era un tipo de periodismo muy diferente al habitual, y estaba mucho más cerca de la ficción.

El reportaje tuvo mucho éxito cuando se publicó, y aumentó la reputación de García Márquez como periodista. «Me gustaría volver a ser reportero», dijo muchos años después, durante una charla con el poeta chileno Pablo Neruda. «Porque pienso que cuando uno avanza en su carrera literaria, pierde el sentido[4] de la realidad. En cambio, el trabajo de reportero tiene la ventaja de que lo tiene a uno todos los días en contacto con la realidad inmediata»,

Años más tarde, en 2014, la historia de José Salvador Alvarenga, un náufrago salvadoreño que pasó 14 meses en alta mar, tuvo muchos detalles en común con esa historia.

---

[1] **náufrago:** persona perdida en el mar [2] **buque:** gran barco
[3] **gaviota:** ave acuática [4] **perder el sentido:** (aquí) estar desconectado

Arriba, la casa de García Márquez en Cartagena. Debajo, una calle típica de la ciudad.

3. Barranquilla, Cartagena, Bogotá

«No había una puerta,
una grieta[1] de un muro,
un rastro[2] humano, que no
tuviera dentro de mí una
resonancia sobrenatural»

En diciembre de 1949, después de pasar una temporada[3] en la casa familiar, Gabriel García Márquez viajó a Barranquilla, uno de los lugares de su infancia[4].
Allí se encontró con viejos amigos, como los escritores Germán Vargas y Álvaro Mutis, y conoció a otros artistas y políticos. Un mes después, en enero de 1950, empezó a trabajar en El Heraldo, un periódico local, gracias a sus contactos. Allí escribía un artículo de opinión con el título de *La jirafa*. En este espacio, el autor publicaba fragmentos de cuentos, artículos cortos sobre temas de actualidad y críticas de cine. No escribía como García Márquez, sino con el seudónimo[5] «Septimus».
El escritor tenía una relación especial con esta ciudad, famosa por sus eventos culturales. Uno de sus favoritos era el Carnaval, una fiesta popular con música y baile que se celebra todos los años antes de la Pascua. En su columna de El Heraldo, García Márquez escribió varias veces sobre el Carnaval, sus tradiciones y sus personajes. En 2003, la UNESCO declaró a esta fiesta Patrimonio cultural inmaterial de la humanidad, en parte gracias a una carta

---

[1] **grieta:** agujero estrecho y alargado [2] **rastro:** huella [3] **temporada:** periodo de tiempo. Por ejemplo, varios meses [4] **infancia:** niñez [5] **seudónimo:** nombre artístico

El famoso Carnaval de Barranquilla, Colombia.

de García Márquez, donde el autor explicaba la influencia del Carnaval en su literatura.

Aunque[6] tenía muchos amigos en la ciudad, la vida del escritor no era fácil. Tenía poco dinero y pasaba los fines de semana solo. Trabajaba muchas horas en el periódico, fumando sin parar, y también trabajaba en su novela *La casa*, pero no estaba contento con el tono, y avanzaba muy lentamente.

En estos días, García Márquez viajó con su madre a Aracataca para intentar vender la casa de sus abuelos. El regreso[7] al pueblo de su infancia fue una experiencia única. «Todo era idéntico a los recuerdos, pero más reducido y pobre», recordó años más tarde. «No había una puerta, una grieta de un muro, un rastro humano, que no tuviera dentro de mí una resonancia sobrenatural». Allí, el autor tuvo la idea de escribir una nueva novela, también sobre la historia de su familia, pero desde un nuevo punto de vista. Volvió a Barranquilla lleno de energía y empezó a trabajar en el libro, que se llamó *La hojarasca*.

Además de su actividad como periodista en El Heraldo, el escritor trabajaba en la revista semanal Crónica, donde publicaba cuentos escritos a toda prisa[8] y terminados momentos antes de ir a la imprenta.

Así pasaron varios años: García Márquez era ya un nombre conocido en Colombia como periodista y como escritor. En 1952, se encontró con Mercedes Barcha, una amiga de la infancia. Ella y Gabriel compartían[9] su pasión por la música y el baile.

Mientras tanto, la familia del autor pasaba momentos complicados. Los negocios de su padre no iban bien y había poco dinero. Después de una dura conversación en la que el escritor le contó a su padre que ya no iba a la universidad, se decidió una mudanza[10] familiar a Cartagena. Según cuenta García Márquez en sus memorias, la responsabilidad económica de la familia era, a

---

[6] **aunque:** a pesar de que [7] **regreso:** vuelta [8] **prisa:** apuro [9] **compartir:** tener en común
[10] **mudanza:** cambio de casa o de ciudad

partir de ese momento, suya, como hijo mayor. Volvió a trabajar en el periódico El Universal y a vivir con su madre y hermanos. Pero el plan no funcionó: muy pronto, el escritor volvió a Barranquilla, a la oficina de El Heraldo, y más tarde se buscó un trabajo vendiendo libros por los pueblos de su país, aunque seguía colaborando con diferentes periódicos y revistas.

En 1953, un golpe militar derrocó[11] a Laureano Gómez, el entonces presidente colombiano, y el general Gustavo Rojas quedó al frente del gobierno, con gran apoyo popular.

Al año siguiente, García Márquez volvió a Bogotá para trabajar en el periódico El Espectador. Allí publicaba crónicas de actualidad y críticas de cine. Empezó una época de muchísimo trabajo: en casi dos años, el autor publicó alrededor de[12] 800 artículos.

En 1955, el periódico lo envió a Ginebra, Suiza, a escribir sobre un acto político. Se trataba de una reunión entre los líderes de Gran Bretaña, Francia, Estados Unidos y la Unión Soviética, en el medio de la guerra fría.

Según cuenta el autor en sus memorias, el viaje se decidió rápidamente. «Lo primero que hice fue llamar por teléfono a mi madre», recordó. «Me preguntó cuánto estaría allá, y le contesté que volvería a más tardar[13] en dos semanas», escribió García Márquez. «Sin embargo, por razones que no tuvieron nada que ver con mi voluntad, no me demoré[14] dos semanas, sino casi tres años».

---

[11] **derrocar:** apartar del poder [12] **alrededor de:** cerca de [13] **a más tardar:** como máximo [14] **demorar:** tardar, retrasarse

pista 07

Una historia de amor

Antes de subir al avión para ir a Europa por primera vez, Gabriel García Márquez pasó en un taxi por la casa de Mercedes Barcha. Miró hacia la puerta. «Y allí estaba, como una estatua sentada en el portal[1], esbelta[2] y lejana», escribió en sus memorias, donde recuerda detalles de ese momento, como el vestido verde que llevaba ella y su corte de pelo.

La historia de amor duraba ya muchos años, desde que los dos eran niños. Después, se encontraron varias veces, y las conversaciones eran amables y ligeras.

Ahora, las cosas eran distintas. Gabo quería tener una relación diferente; por eso, en el avión le escribió una carta formal en hojas de color azul. Allí le contaba a Mercedes sobre su viaje a Ginebra. La última línea decía: «si no recibo contestación a esta carta antes de un mes, me quedaré a vivir para siempre en Europa».

Mercedes respondió. Se casaron en 1958.

[1] **portal:** puerta [2] **esbelta:** delgada, elegante

Una calle de la capital cubana, donde García Márquez vivió en 1959.

4. Del exilio al éxito

«Cien años de soledad es la mejor novela que se ha escrito en castellano después de El Quijote»

E l viaje de García Márquez a Europa tenía varios motivos. El oficial era su misión como periodista para la prensa colombiana. Otra razón era que el gobierno militar de su país, con el general Rojas Pinilla al frente, tenía constantes problemas con la prensa que no opinaba como él. Hacia 1955, Colombia vivía bajo una dictadura donde el gobierno aplicaba censura[1], y no le gustaba el tono de los artículos del autor de *Cien años de soledad*.

Después de escribir sobre la reunión política en Ginebra, el autor viajó por el viejo continente. Visitó Checoslovaquia, Rusia, Polonia e Italia. Después, llegó a París. Allí supo que el gobierno colombiano acababa de cerrar el periódico El Espectador, del que el escritor era corresponsal.

Ya sin dinero y sin salario, García Márquez recibía ayuda de sus amigos para pagar el hotel y la comida en la capital francesa. Vivía en el Barrio Latino de París, y trabajaba juntando[2] botellas en la calle. Además, observaba la vida europea y escribía una novela que después se hizo famosa. Se trataba de *El general en*

---

[1] **censura:** examen para aprobar o prohibir las noticias [2] **juntar:** acumular, recoger

su laberinto, un perfil[3] sobre la vida del héroe venezolano Simón Bolívar, un personaje muy querido en la casa del escritor. Más de tres años después de dejar Sudamérica, García Márquez volvió. Pero no fue a su país, sino a Venezuela, el país vecino. Allí, se reunió con su viejo amigo Plinio Apuleyo Mendoza, también escritor. Interesados en la política, los dos autores viajaron juntos por diferentes países del mundo, observando la nueva sociedad comunista en la Unión Soviética.

En 1959, después de publicar varios artículos sobre política, (y después de su boda con Mercedes Barcha en 1958), Gabriel García Márquez viajó a Cuba, como invitado de Fidel Castro, el líder de la revolución cubana. Vivió seis meses en la isla. El nuevo gobierno acababa de derrocar a un dictador y era el centro de las miradas latinoamericanas. El escritor y el político cubano empezaron en este tiempo una amistad que duró muchas décadas. Los unía, entre otras cosas, su idea sobre la importancia de la identidad de la región y su admiración por Ernesto «Che» Guevara.

Ese mismo año, nació Rodrigo, el primer hijo del autor, hoy un famoso director de cine.

Ilusionado por las posibilidades de las nuevas ideas políticas, García Márquez viajó a Nueva York como corresponsal de la agencia de noticias cubana, Prensa Latina, pero renunció a los pocos meses. Al dejar la capital norteamericana, decidió viajar en autobús, con Mercedes y el pequeño Rodrigo, al sur del país, tras la historia de escritores americanos como William Faulkner y Ernest Hemingway, a quienes admiraba mucho. Y en 1961, se mudó a México, el lugar que fue, desde ese momento, su segundo hogar.

En 1962 nació Gonzalo, su segundo hijo. Eran días felices: el autor escribía y sus cuentos se publicaban y ganaban concursos literarios. También escribía guiones[4] de cine. México lo recibía como a un hijo, y pronto hizo amigos escritores como Juan Rulfo y Carlos Fuentes, con quienes compartía tardes de charlas y café. Gabo y Mercedes formaban parte de la vida cultural de la ciudad.

---

[3] **perfil:** (aquí) retrato [4] **guion:** libro de una película

En un viaje entre la capital mexicana y la ciudad de Acapulco, el escritor tuvo una idea: era el tono para una novela sobre su pueblo, Aracataca, que iba a llamarse Macondo. Era el tono que su abuela usaba para contar historias sobrenaturales. «Hablaba sobre cosas sobrenaturales y fantásticas, pero las contaba con absoluta naturalidad», explicó el autor. Inspirado y lleno de energía, el autor escribió todos los días durante los 18 meses siguientes. «Sin Mercedes no habría llegado a escribir el libro. Ella se hizo cargo[5] de la situación. [...] Pero yo estuve un año y medio escribiendo sin parar. Cuando el dinero se acabó, ella no me dijo nada. Logró[6], no sé cómo, que el carnicero le fiara[7] la carne [...]», recordó el escritor en una entrevista.

La novela se publicó en Buenos Aires en 1966, y fue un éxito instantáneo. «Es la mejor novela que se ha escrito en castellano después de *El Quijote*», opinó el poeta chileno Pablo Neruda.

---

[5] **hacerse cargo:** organizar [6] **lograr:** conseguir [7] **fiar:** entregar sin pago

pista 09

Un manuscrito con historia

Gabriel García Márquez escribió su novela más famosa a los 38 años. Eran tiempos difíciles para el escritor y para su mujer, Mercedes. Vivían con muy poco dinero, según cuenta en sus memorias, aunque luego su mujer ha dicho que no eran tan pobres, sino que Gabo exageraba por razones dramáticas. En agosto de 1966, una vez terminado el libro, fue el momento de encontrar una editorial para publicarlo. «Mercedes y yo fuimos a la oficina de correos para enviar a la editorial Sudamericana de Buenos Aires la versión terminada de *Cien años de soledad*», recordó el autor en 2007, durante un acto para celebrar la publicación de un millón de ejemplares[1] de la novela. Era un paquete de 590 páginas escritas a máquina. «El empleado de correos puso el paquete en la balanza[2], hizo sus cálculos mentales, y dijo 'Son 82 pesos'. Mercedes contó los billetes[3] y las monedas sueltas[4] que le quedaban en la cartera y se enfrentó a la realidad: 'sólo tenemos 53'. Abrimos el paquete, lo dividimos en dos partes iguales y mandamos una a Buenos Aires sin preguntar siquiera cómo íbamos a conseguir el dinero para mandar el resto», explicó, y terminó con un detalle poco conocido. «Solo después caímos en la cuenta de que no habíamos mandado la primera sino la última parte».

---

[1] **ejemplar:** libro [2] **balanza:** instrumento para determinar el peso de una persona o cosa [3] **billete:** dinero en papel [4] **suelto:** sin envase

5. Un Nobel colombiano

«Un universo poético que refleja la vida y conflictos de un continente»

C ien años de soledad fue un éxito inmediato en Latinoamérica. Gabriel García Márquez viajó a Buenos Aires en agosto de 1967, tres meses después de la publicación del libro. Era el invitado de honor de varias fiestas y eventos culturales. En uno de ellos, celebrado en el teatro del Instituto Di Tella, el público se puso de pie para aplaudir[1] al autor. «¡Bravo! ¡Bravo!», decían los lectores, emocionados al ver personalmente al escritor.

García Márquez era ahora una figura pública. El éxito y la atención de la prensa, que le pedía opiniones sobre muchísimos temas, le dejaban poco tiempo para escribir.

En noviembre de ese año, el escritor y su familia se mudaron a Barcelona. Aunque su idea era vivir en España apenas unos meses, se quedaron durante seis años.

España estaba bajo la dictadura de Francisco Franco, quien ya llevaba casi treinta años en el poder. Aunque económicamente el país crecía, la libertad de los ciudadanos era limitada y no se respetaban los derechos humanos.

---

[1] **aplaudir:** hacer sonido con las manos para indicar aprobación o admiración

La llegada de los García Barcha a Europa coincidió[2] con la explosión de la literatura latinoamericana, un fenómeno llamado «el boom». Entre las obras importantes de esta época estaban *La ciudad y los perros*, del peruano Mario Vargas Llosa, publicada en 1962; *Aura*, del mexicano Carlos Fuentes, publicada el mismo año, y *Rayuela*, la novela del argentino Julio Cortázar, publicada en 1963.

En el piso del barrio de Sarrià, en la zona alta de Barcelona, García Márquez y su mujer recibían la visita de algunos de los autores latinoamericanos más importantes de esa época, como Vargas Llosa, Fuentes e incluso[3] el poeta chileno Pablo Neruda, a quien Gabo admiraba (lo llamó «el poeta más grande del siglo XX, en cualquier idioma»). Neruda pasó por Barcelona en 1970 exclusivamente para conocer a García Márquez, y después viajó a Chile para estar presente en las elecciones presidenciales, donde apoyaba[4] al candidato socialista Salvador Allende. Este ganó las elecciones y en 1971 designó a Neruda embajador chileno en París. Ese mismo año, el chileno ganó el Premio Nobel de literatura.

Pero no todo eran fiestas. En esta época, García Márquez empezó a trabajar en otra de sus novelas más importantes: *El otoño del patriarca*, una novela sobre la soledad del poder. Es la historia de un dictador latinoamericano que permanece[5] 20 años en el gobierno de un país no determinado. La novela tiene una forma original, y consiste en frases muy largas: todo el libro tiene, en total, 100 oraciones.

Eran años donde los artistas se definían por su obra, pero también por sus ideas políticas. García Márquez apoyó desde el principio la revolución cubana de 1958 y el régimen de Fidel Castro. Cuando importantes artistas europeos y latinoamericanos de izquierda, como Jean-Paul Sartre y Julio Cortázar, criticaron al gobierno cubano por perseguir[6] a los escritores en la isla, García

---

²**coincidir:** ocurrir al mismo tiempo ³**incluso:** aun, también ⁴**apoyar:** estar de acuerdo, dar ayuda ⁵**permanecer:** quedarse, estar ⁶**perseguir:** acosar, hostigar

Márquez no estuvo de acuerdo. En otra demostración pública de sus ideas políticas, el autor colombiano entregó los 22 750 dólares del premio literario Rómulo Gallegos al MAS, un movimiento político socialista de Venezuela.

En 1973, la novela estaba casi terminada. García Márquez estaba de visita en Colombia, cuando recibió la noticia de la muerte del presidente Allende en Chile, y del golpe de estado que puso a Augusto Pinochet al frente del gobierno de ese país. El autor colombiano envió un telegrama inmediatamente: allí acusó[7] a los militares chilenos de la muerte de Allende y los llamó «una banda de criminales». También anunció que dejaba de escribir literatura para dedicarse a la política a tiempo completo, hasta ver a Pinochet y su grupo lejos del poder en Chile.

Dos años más tarde, se publicó *El otoño del patriarca*, y García Márquez regresó con su familia a Latinoamérica. Después de pasar por Colombia, se instalaron nuevamente en la capital mexicana.

En 1975, la noticia de la muerte de Franco y el inicio de la transición española hacia la democracia coincidió con el anuncio de Cuba del envío de militares a Angola para intervenir en la guerra civil y apoyar la independencia del país africano. García Márquez escribió sobre esta misión, con la colaboración del gobierno cubano. Por sus reportajes, ganó un premio internacional de periodismo. Por otra parte, recibió críticas por estar tan cerca de Fidel Castro y no ser objetivo.

Sin embargo, el escritor continuó haciendo periodismo político en los años siguientes, apoyando distintas causas relacionadas con los derechos humanos y las políticas de izquierda. Durante los años 70, se reunió con presidentes, reyes y hasta el Papa Juan Pablo II para comentar la realidad de los derechos humanos en una Latinoamérica que vivía varias dictaduras.

Mientras tanto, sus hijos crecían. Rodrigo viajó a Estados Unidos para estudiar historia en la universidad de Harvard.

---

[7] **acusar:** culpar

Gonzalo, por su parte, pensaba hacer carrera en el mundo de la música, y empezó sus estudios en París, adonde se mudó, junto con sus padres, en 1979.

Después de años de intensa actividad política, Gabo volvió a escribir. Esta vez, eligió un episodio real, ocurrido en Sucre treinta años antes, como punto de partida[8]. Era la muerte de Cayetano Gentile, un amigo de la infancia de Gabo y sus hermanos. El libro se llamó *Crónica de una muerte anunciada*, y tenía un estilo que estaba más cerca del periodismo que de la literatura. Aunque los nombres de los protagonistas son diferentes, el asesinato público de un joven, a quien los asesinos acusan de violar el honor de su hermana, está contado de forma casi idéntica al episodio real.

Estos fueron años activos en la vida de García Márquez: entre 1980 y 1984 escribió casi 200 artículos en la prensa española y latinoamericana.

Crónica de una muerte anunciada fue un éxito inmediato y el título más vendido en España en 1981. Un año más tarde, una llamada de teléfono sorprendió al escritor. Le acababan de dar el Premio Nobel de Literatura.

La Academia Sueca, que entrega el premio, dijo que García Márquez lo merecía porque sus novelas y cuentos eran «un universo poético que refleja la vida y conflictos de un continente». Después, en una entrevista, Arthur Lundkvist, el único de los académicos que leía castellano, dijo que el premio apreciaba «toda su obra, pero especialmente *Cien años de soledad*, que ha tenido mucho éxito también en Suecia. Pero uno de los aspectos de la fama es que cierto tipo de gente sólo compra y lee este libro. Y dejan de lado *El otoño del patriarca*, que es, sin discusión alguna, un mejor libro, y merece mucho más la atención del público».

La ceremonia de entrega del premio era en Estocolmo, en diciembre. Hacía frío en la capital sueca, pero García Márquez y sus amigos, más los cientos[9] de invitados colombianos al evento,

---

[8] **punto de partida:** inicio [9] **cientos:** varias veces cien

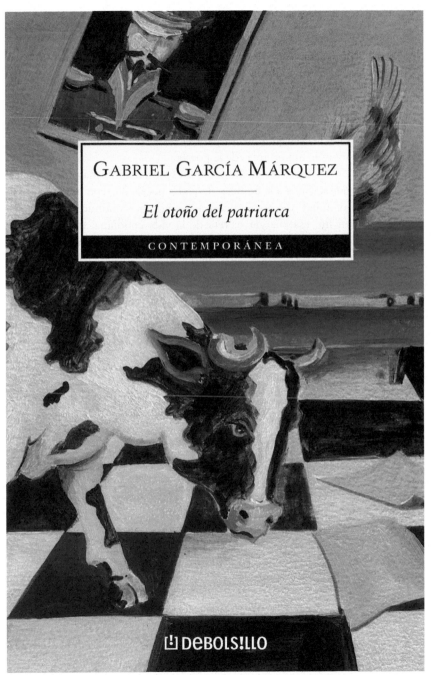

GABRIEL GARCÍA MÁRQUEZ

El otoño del patriarca

CONTEMPORÁNEA

[⸆] DeBOLS!LLO

Portada de El otoño del patriarca, *en la edición de Penguin Random House.*

no lo sentían. Era un momento único para su país, y para el continente. El autor se presentó a recibir el premio vestido con el traje tradicional de los campesinos colombianos, el *liqui liqui*. Llevaba una chaqueta y pantalones completamente blancos, con botas negras. Después de recibir el premio de manos del rey sueco, García Márquez habló para el público durante varios minutos sobre la importancia de la poesía.

«Quiero creer, amigos, que este es, una vez más, un homenaje que se rinde a la poesía», dijo. «La poesía que con tan milagrosa[10] totalidad rescata a nuestra América», continuó. «La poesía, en fin, esa energía secreta de la vida cotidiana, que cuece[11] los garbanzos[12] en la cocina, y contagia el amor y repite las imágenes en los espejos». Casi dos mil personas lo aplaudieron de pie.

---

[10] **milagroso:** maravilloso, inusual [11] **cocer:** cocinar [12] **garbanzo:** tipo de legumbre, habitual en guisos

pista 11

«El boom»

«El boom» latinoamericano fue un fenómeno editorial y literario que presentó a un grupo de escritores en español a lectores del mundo entero. Gabriel García Márquez fue uno de los nombres más importantes de «el boom», con Mario Vargas Llosa de Perú, Julio Cortázar de Argentina, Juan Carlos Onetti de Uruguay y Carlos Fuentes de México. Las obras de estos autores tenían estilos diferentes, pero compartían[1] su intención de encontrar nuevas formas de contar historias. Muchas de ellas tenían, además, relación con la realidad política latinoamericana de los años 60 y 70.

«El invento de la palabra *boom* no fue para constituir una fraternidad[2] de amigos, para relacionarse afablemente[3] e irse de excursión al campo con las familias. No, no, no... Aquello era un *lobby*, algo que tiene que ver con el poder literario. Con vender, ¿comprende? Vender. Y, tantas décadas después, aún funciona el invento. Venden millones de ejemplares. Son excelentes escritores», explicó Carmen Balcells, agente literaria de Gabo y de varios de los autores mencionados.

---

[1] **compartir:** tener en común [2] **fraternidad:** grupo [3] **afablemente:** amablemente

García Márquez en Cartagena.

6. Amor, realidad y política

«Estoy seguro de que El general en su laberinto va a entrar en la historia»

D e vuelta en Latinoamérica, el escritor se instaló en Cartagena. Allí empezó una nueva novela, con el amor como tema central. Se iba a publicar con el título *El amor en los tiempos del cólera*. Es, en palabras de su autor, la historia de un hombre y una mujer que se enamoran desesperadamente y no pueden casarse a los veinte años, porque son demasiado jóvenes, y tampoco pueden casarse a los ochenta, después de las vueltas de la vida, porque son demasiado viejos. La historia está situada en Cartagena, e incorpora detalles de la historia familiar del autor.

Esta fue la primera novela que García Márquez escribió en un ordenador, y no en su querida máquina de escribir. Gerald Martin, autor de una biografía sobre Gabo, cuenta que, al terminar la novela, este viajó a Nueva York para reunirse con su agente, Carmen Balcells. Al subir al avión, el escritor llevaba los disquetes con los archivos del libro colgados[1] del cuello.

Mientras tanto, en Colombia, la violencia aumentaba. Los cárteles del narcotráfico tenían mucho poder, y quienes hablaban en contra de ellos estaban en peligro. Políticos y periodistas eran asesinados a menudo. García Márquez, sin embargo, prefería no

---

[1] **colgado:** suspendido

hablar públicamente sobre el tema. En cambio, dirigía su atención hacia una de sus pasiones: el cine. Acababa de abrir una escuela de cine en Cuba, y dedicaba tiempo y dinero a verla crecer. En la escuela enseñaba a contar una historia con imágenes. Directores famosos como Francis Ford Coppola y Robert Redford visitaban sus clases.

Además de su interés por el cine, Gabo tenía un nuevo proyecto literario. Era una biografía de Simón Bolívar, con el título *El general en su laberinto*. El desafío[2] para el escritor era crear una obra original sobre un personaje histórico del que ya se sabía casi todo. Bolívar era una figura central para pensar la identidad de Latinoamérica. Su influencia estaba presente en todo el continente, pero especialmente en Venezuela y Colombia.

La novela empieza en 1830, cuando el sueño de la unificación del continente latinoamericano desaparece, y Bolívar deja Colombia, camino al exilio.

El libro se publicó en 1989, en medio de críticas positivas y negativas. «Estoy seguro de que *El general en su laberinto* va a entrar en la historia, con todo y sus invenciones», escribió sobre el libro el expresidente colombiano Belisario Betancur, «porque es un héroe creíble, palpable[3] y humano; y, por tanto, le va a gustar a la gente, a pesar de que es un relato doloroso y lleno de tristeza, toda documentada».

Mientras Gabo imaginaba el pasado de Colombia en su libro, el presente del país era cada vez mas violento. Ese mismo año, Ernesto Samper, el futuro presidente del país, sufrió[4] un intento de asesinato en el aeropuerto de Eldorado en Bogotá; un candidato a presidente fue asesinado, y una bomba destruyó[5] las oficinas del periódico El Espectador y parte del hotel Hilton de Cartagena. García Márquez comentó que la política anti narcotráfico iba a fracasar, y que era necesario un diálogo entre el gobierno, la guerrilla de las FARC y los cárteles.

---

[2] **desafío:** problema [3] **palpable:** que se puede tocar [4] **sufrir:** experimentar [5] **destruir:** causar grandes daños

Estatua de Simón Bolívar en Quito, Ecuador.

En 1990, los colombianos eligieron a un nuevo presidente, César Gaviria, que iba a negociar un polémico[6] acuerdo con el narcotraficante Pablo Escobar. Escobar se entregó[7] a la policía, a cambio de evitar la extradición[8] a Estados Unidos. En cambio, fue a una prisión colombiana, cerca de Medellín.

García Márquez decidió volver a su país y participar activamente en la vida política con un nuevo programa de televisión, llamado *QAP*.

En 1991, un examen médico al escritor reveló[9] un tumor en el pulmón. Los médicos lo operaron en Colombia, con excelentes resultados, y el autor viajó a Sevilla para presentar su nuevo libro de cuentos, *Doce cuentos peregrinos*, en la Exposición Universal de 1992.

En los años siguientes, Gabo dedicó gran parte de su tiempo a escribir. En 1994 publicó *Del amor y otros demonios*. «Era una nueva novela en Cartagena», dijo el escritor Gerald Martin, el biógrafo de Gabo. La historia del libro ocurre en 1949, y trata sobre un joven periodista que investiga una historia: el viejo convento de Santa Clara iba a ser transformado en un hotel de lujo, y había que cambiar de lugar algunas de las antiguas tumbas[10]. «En una de las tumbas hay una calavera[11] en la que el cabello, de color naranja fuerte, ha seguido creciendo durante casi dos siglos, y tiene más de 22 metros de largo», escribe Martin. La novela imagina la vida de esa joven.

Aunque su fama internacional se debía en gran parte a sus trabajos de ficción, García Márquez no abandonaba su compromiso con el oficio de reportero. En octubre de 1994, creó en Cartagena un nuevo espacio para el periodismo latinoamericano: la Fundación Gabriel García Márquez para el nuevo periodismo iberoamericano. Junto con el periodista y escritor argentino Tomás Eloy Martínez y otros colaboradores,

---

[6] polémico: con opiniones a favor y en contra **[7] entregarse:** rendirse **[8] extradición:** acuerdo por el que un acusado recibe juicio en otro país **[9] revelar:** indicar **[10] tumba:** lugar donde está enterrada una persona **[11] calavera:** huesos de la cabeza

García Márquez organizó allí cursos y eventos sobre la libertad de prensa y el trabajo de los periodistas.

Continuando su diálogo con la historia contemporánea de su país, en 1996 publicó *Noticia de un secuestro*, una obra de ficción inspirada en hechos reales ocurridos durante los años del narcoterrorismo en el país caribeño.

Tres años después, la salud del Nobel volvió a ser protagonista. En esa ocasión, los médicos le diagnosticaron cáncer linfático. Meses después del tratamiento, dijo al periódico colombiano El Espectador: «por el temor[12] de no tener tiempo para terminar los tres tomos de mis memorias y dos libros de cuentos que tenía a medias, reduje[13] al mínimo las relaciones con mis amigos, desconecté el teléfono, cancelé los viajes y toda clase de compromisos pendientes y futuros, y me encerré a escribir todos los días sin interrupción desde las ocho de la mañana hasta las dos de la tarde. Durante ese tiempo, ya sin medicinas de ninguna clase, mis relaciones con los médicos se redujeron a controles anuales y a una dieta sencilla para no pasarme de peso. Mientras tanto, regresé al periodismo, volví a mi vicio favorito de la música y me puse al día en mis lecturas atrasadas».

En 2002, ya recuperado, el escritor publicó la primera parte de sus memorias, con el título *Vivir para contarla*. En tres semanas, el libro vendió más de un millón de copias en Latinoamérica.

---

[12] **temor:** miedo [13] **reducir:** hacer más pequeño

pista 13

¡Avajo la hortografía!

En 2007, se celebró en México el Congreso de la
Lengua Española. García Márquez habló allí sobre la
ortografía, y su innovadora propuesta para hacerla más
simple. Sugirió aprender «de las lenguas indígenas a las
que tanto debemos lo mucho que tienen todavía para
enseñarnos y enriquecernos[1]». En una charla seria y a la
vez con mucho humor, propuso devolver al subjuntivo
presente «el esplendor de sus esdrújulas: váyamos en
vez de vayamos, cántemos en vez de cantemos, o el
armonioso muéramos en vez del siniestro muramos.
Jubilemos[2] la ortografía, terror del ser humano desde
la cuna[3]: enterremos[4] las haches rupestres, firmemos
un tratado de límites entre la ge y jota, y pongamos
más uso de razón en los acentos escritos, que al fin y
al cabo nadie ha de leer lagrima donde diga lágrima ni
confundirá revolver con revólver», dijo.

---

[1] **enriquecer:** hacer más rico   [2] **jubilar:** retirar, apartar   [3] **cuna:** cama para un
bebé   [4] **enterrar:** poner bajo tierra

7. En boca de otros

«Qué gran satisfacción haber hecho tan feliz a tanta gente»

L as amistades de García Márquez son legendarias[1]. El escritor valora la compañía de sus amigos y hay muchos nombres que acompañan[2] su historia desde hace años. Álvaro Mutis (1923-2013) fue un gran poeta colombiano, «uno de los grandes escritores de nuestro tiempo», según su amigo Gabo. Mutis fue, además, el primer lector de los textos del Nobel, a quien se los contaba antes de publicarlos, y prestaba atención a la reacción que causaban en su amigo. Cuando Mutis cumplió 70 años, García Márquez escribió un artículo sobre su relación. «Me preguntan a menudo cómo es que esta amistad ha podido prosperar[3] en estos tiempos tan ruines[4]. La respuesta es simple: Álvaro y yo nos vemos muy poco, y sólo para ser amigos. Aunque hemos vivido en México más de 30 años, y casi vecinos[5], es allí donde menos nos vemos. Cuando quiero verlo, o él quiere verme, nos llamamos antes por teléfono para estar seguros de que queremos vernos».

Julio Cortázar (1914-1984), otro escritor amigo de Gabo, admiró en una ocasión su disciplina para escribir. «Es que yo soy mucho más vago que García Márquez», le respondió a un

---

[1] **legendario:** relacionado con las leyendas [2] **acompañar:** ir con alguien [3] **prosperar:** crecer
[4] **ruin:** interesado, vil [5] **vecino:** persona del mismo barrio

periodista, que le preguntaba en los años 80 por qué sus textos se publicaban con mucha menos frecuencia que los de Gabo. «Además, estoy más enfermo y soy mucho más viejo que él. Son factores que cuentan, en serio. Yo no puedo escribir como escribe él. Es un tipo⁶ mucho más disciplinado».

Aunque muchos autores dicen cosas positivas sobre el escritor de Aracataca, un autor latinoamericano, examigo de García Márquez, prefiere el silencio. Mario Vargas Llosa (Perú, 1936) fue, junto con Gabo, uno de los personajes más importantes de «el boom» latinoamericano. Sin embargo, en un encuentro en los años 70 en un cine, le dio un fuerte puñetazo⁷ al autor de *Cien años de soledad*. La razón nunca se hizo pública, y Vargas Llosa, quien recibió el premio Nobel de Literatura en 2010, no quiere hablar del tema. En su opinión descubrir qué pasó «es un trabajo para los biógrafos».

La fascinación por el poder que se ve en varias de las obras de García Márquez tiene una relación con la vida real, ya que varios líderes políticos son amigos del Nobel. El más famoso es sin duda Fidel Castro, una amistad por la que Gabo ha sido criticado a menudo, aunque diga que, cuando se ven, los dos amigos no hablan de política sino de literatura.

Juan Manuel Santos, presidente de Colombia, dijo que el escritor es un sinónimo de la felicidad. «Una de las definiciones de la felicidad es leer un buen libro. ¿Cuántos millones de habitantes en el planeta no han sido felices leyendo los libros y los cuentos de García Márquez? Qué gran satisfacción haber hecho tan feliz a tanta gente», expresó.

Uno de los hombres más poderosos del mundo es también un admirador de la obra de García Márquez, junto a toda su familia. Se trata de Bill Clinton, quien fue presidente norteamericano entre 1993 y 2001. «Cuando yo tenía 25 años, *Cien años de soledad* acababa de salir en inglés. Lo leí mientras estaba en la facultad

---

⁶ **tipo:** hombre ⁷ **puñetazo:** golpe que se da con la mano cerrada

de Derecho», recordó. «Lo leía por la mañana, al mediodía, por la noche. Los profesores me regañaban[8] porque lo leía en clase, trataba de esconderlo y lo leí hasta el final. Y no solo me enseñó mucho sobre lo que podía ser la literatura, me enseñó sobre lo que era la vida», dijo Clinton.

Carmen Balcells es su agente y su amiga. Desde el comienzo de su relación, ella supo que García Márquez era único, e iba a ser famoso en todo el mundo. Gracias al poder que tuvo como representante[9] del premio Nobel latinoamericano, Balcells cambió muchas de las reglas del mundo editorial. «Cuando tienes un autor como Gabriel García Márquez, puedes montar un partido político, instituir una religión u organizar una revolución», dijo. «Yo opté por esto último. Pero no se crea que fue fácil: me atacaron por todos lados».

Una de las hermanas de Gabo, Aída, escribió un libro sobre momentos desconocidos del escritor, y en una entrevista al periódico El Universal en 2013, analizó el impacto de la lectura en la carrera de su hermano. «Siempre se ha dicho que nos gusta leer y escribir, porque desde niños nos leían las tiras cómicas, y cuando mi papá viajaba, los regalos eran siempre cuentos»

Mercedes Barcha, la mujer del escritor, destaca su seguridad: Gabo siempre supo lo que quería. «Un día, de buenas a primeras[10], él me dijo 'Tienes que casarte conmigo'», recordó en una de las pocas entrevistas que dio a la prensa. «Yo creí que la cosa era un poco más romántica y me sorprendió un poco este tratamiento imperativo, pero en fin, un poco asustada, acepté», contó con una sonrisa.

---

⁸ regañar: quejarse **⁹ representante:** agente **¹⁰ de buenas a primeras:** de repente

Arriba, el escritor con su amigo Fidel Castro. Abajo, con su esposa Mercedes, en una visita a Aracataca.

pista 15

Gabo y después

La influencia de un escritor como Gabriel García Márquez en la literatura latinoamericana es enorme. Sin embargo, la sensación general es que el autor abrió las puertas del mundo a los autores que escriben en español. El escritor colombiano Juan Gabriel Vásquez, ganador del Premio Alfaguara de Novela en 2011, explicó el impacto de la obra de Gabo en los escritores de su país. «Hay muchos escritores de mi generación para los cuales García Márquez es un peso y una losa[1], y algo que les hace sombra[2] y les molesta profundamente. Para mí, es todo lo contrario. La de «el boom» latinoamericano fue una generación que nos abrió puertas, nos enseñó cosas», opinó.

---

[1] **losa:** piedra muy pesada [2] **sombra:** oscuridad, falta de luz

Notas culturales

1. La vida en Aracataca

Aracataca: Es un municipio colombiano en el departamento de Magdalena, en la zona del Caribe.

Caribe colombiano: Es una región en el norte de Colombia, formada por los distritos de Barranquilla, Cartagena y Santa Marta.

Oficina telegráfica: Es una oficina donde se recibían y enviaban mensajes por telégrafo, un dispositivo para transmitir textos a través de señales eléctricas.

Santa Marta: Es la ciudad más antigua de Colombia, fundada en 1525. Es la capital del departamento de Magdalena.

Barranquilla: Es la cuarta ciudad más poblada de Colombia. Está situada a pocos kilómetros del Mar Caribe.

Siesta: Es un descanso corto después de la comida, que a menudo se usa para dormir.

Carlos Gardel (1883-1890): Fue un cantante de tangos y actor argentino, muy famoso hacia el final del siglo XIX.

Montessori: Es un método de educación alternativo creado por la educadora italiana María Montessori a finales del siglo XIX.

Jesuita: Es un miembro de la Compañía de Jesús, orden religiosa de la Iglesia Católica, fundada por San Ignacio de Loyola en 1539.

Bachillerato: Es una etapa educativa, continuación de la escuela primaria. En Colombia, abarca seis años.

Bogotá: Es la capital de Colombia. Tiene más de 7 700 000 habitantes.

Banana: Es una fruta tropical. Proviene del sudeste asiático. En algunos países hispanohablantes se llama plátano o banano.

2. El joven periodista

Café literario: Es un café donde se reúnen artistas y escritores.

Divina Providencia: Es un conjunto de acciones de Dios a favor de los hombres.

Pablo Neruda (1904-1973): Fue un poeta chileno. Recibió el Premio Nobel de Literatura en 1971.

3. Barranquilla, Cartagena, Bogotá

UNESCO: Es una organización internacional que promueve la

cultura de todos los países. Su nombre completo es la Organización de las Naciones Unidas para la Educación, la Ciencia y la Cultura.
Patrimonio cultural inmaterial de la humanidad: Es una categoría reconocida por la UNESCO para proteger y conservar expresiones culturales únicas.

4. Del exilio al éxito
Revolución cubana: Fue una revolución que tuvo lugar en 1958 para derrocar al dictador Fulgencio Batista. Después de ella, Fidel Castro instauró un régimen comunista.
Juan Rulfo (1917-1986): Fue un escritor y fotógrafo mexicano. Su libro más famoso es Pedro Páramo (1955).
Carlos Fuentes (1928-2012): Fue un escritor mexicano. Recibió los premios Cervantes y Príncipe de Asturias de las Letras.

5. Un Nobel colombiano
Buenos Aires: Es la capital de Argentina. Es una de las ciudades más pobladas del continente americano, con casi tres millones de habitantes.
Francisco Franco (1892-1975): Fue un militar y dictador español. Permaneció 39 años en el gobierno tras la guerra civil española.
«El boom»: Fue un fenómeno editorial y literario de los años 1960 y 1970. Difundió la obra de escritores latinoamericanos como Gabriel García Márquez, Mario Vargas Llosa, Julio Cortázar y Carlos Fuentes.
Augusto Pinochet (1915-2006): Fue un militar chileno, dictador en su país hasta 1990 y condenado por violaciones a los derechos humanos.
Liqui liqui: Es la vestimenta tradicional de los campesinos colombianos. Consiste en dos piezas, de algodón y de color claro.

6. Amor, realidad y política
Simón Bolívar (1783-1890): Fue un militar y político venezolano, héroe de la independencia latinoamericana de España.
FARC: Es un grupo guerrillero colombiano. Se fundó en 1964 y continúa activo. Tiene fuertes conexiones con el narcotráfico. Su nombre significa Fuerzas Armadas Revolucionarias de Colombia.
Ortografía: En esta cita, García Márquez sugiere cambiar la pronunciación de ciertas palabras (en este caso, los verbos ir, cantar y morir en el presente de subjuntivo) para convertirlas en esdrújulas.

Glosario

ESPAÑOL	INGLÉS	FRANCÉS	ALEMÁN

Introducción

ESPAÑOL	INGLÉS	FRANCÉS	ALEMÁN
[1] **conocido/-a**	well-known	connu/-e	bekannt
[2] **cuento** *m.*	short story	nouvelle	Kurzgeschichte
[3] **verdadero/-a**	real	vrai/-e	wahr, echt
[4] **lector/-a**	reader	lecteur/-trice	Leser, Leserin
[5] **jacaranda** *m.*	American tree with blue flowers	jacaranda	Jakarandabaum
[6] **acercarse**	to approach	s'approcher	sich nähern
[7] **fuente** *f.*	source	source	Quelle
[8] **fracaso** *m.*	failure	échec	Scheitern
[9] **carrera**	career	carrière	Laufbahn
[10] **amistad** *f.*	friendship	amitié	Freundschaft
[11] **apoyo** *m.*	support	soutien	Unterstützung

1. La vida en Aracataca

ESPAÑOL	INGLÉS	FRANCÉS	ALEMÁN
[1] **estar enamorado/-a**	to be in love	être amoureux	verliebt sein
[2] **pertenecer**	to belong	appartenir	gehören
[3] **distraer**	to distract	distraire	ablenken
[4] **cura** *m.*	priest	prêtre	Pfarrer
[5] **casarse**	to get married	se marrier	heiraten
[6] **mudarse**	to move	déménager	umziehen
[7] **partida** *f.*	game, match	partie	Partie, Spiel
[8] **empleada doméstica** *f.*	maid	femme de ménage	Putzfrau, Dienstmädchen
[9] **asomarse**	to peek	jeter un coup d'œil	sich hinauslehnen
[10] **seguir**	to follow	suivre	folgen
[11] **desarrollar**	to develop	développer	entwickeln
[12] **cuadra** *f.*	block	pâté de maisons	Häuserblock
[13] **apenas**	only	seulement	kaum
[14] **sin embargo**	however	cependant	jedoch
[15] **tranvía** *m.*	tram	tranway	Straßenbahn
[16] **animado/-a**	encouraged	encouragé/-e	begeistert
[17] **apartar**	to separate	exclure	entfernen, ausschließen
[18] **golpe de estado** *m.*	coup	coup d'état	Staatsstreich
[19] **dimitir**	to resign	démissioner	zurücktreten

ESPAÑOL	INGLÉS	FRANCÉS	ALEMÁN

La masacre de las bananas

¹ huelga f.	strike	grève	Streik
² mejor	better	meilleur/-e	besser
³ demostrar	to prove	démontrer / prouver	beweisen

2. El joven periodista

¹ pensión f.	guesthouse	pension de famille	Pension
² enseguida	immediately	tout de suite	sofort
³ de frente	straightforwardly	directement	ohne Umschweife
⁴ resultado	performance	résultat	Ausübung
⁵ declamador/-a	orator	orateur	Redner
⁶ balazo m.	bullet wound	blessure par balle	Schusswunde
⁷ duelo m.	mourning	deuil	Trauer
⁸ acudir	to go	aller	gehen, teilnehmen
⁹ nudo en la garganta m.	a lump in one's throat	avoir la gorge nouée	einen Kloß im Hals haben
¹⁰ llanto m.	sobbing	pleurs	Weinen
¹¹ presunto/-a	potential	présumé/-ée	angeblich
¹² saqueo m.	looting	pillage	Plünderung

Relato de un náufrago

¹ náufrago/-a	castaway	naufragé	Schiffbrüchiger
² buque m.	ship	bateau	Schiff
³ gaviota f.	seagull	mouette	Möwe
⁴ perder el sentido	to pass out	s'évanouir	ohnmächtig werden

3. Barranquilla, Cartagena, Bogotá

¹ grieta f.	crevice	crevasse	Riss
² rastro m.	trail	trace	Spur
³ temporada f.	season	saison	Zeitraum, Saison
⁴ infancia f.	childhood	enfance	Kindheit
⁵ seudónimo m.	pseudonym	pseudonyme	Deckname, Pseudonym
⁶ aunque	even though	bien que	obwohl

ESPAÑOL	INGLÉS	FRANCÉS	ALEMÁN
[7] regreso *m.*	return	retour	Rückkehr
[8] prisa *f.*	hurry	hâte	Eile
[9] compartir	to share	partager	teilen
[10] mudanza *f.*	removal	déménagement	Umzug
[11] derrocar	to overthrow	renverser	stürzen
[12] alrededor de	around	à proximité	etwa, ungefähr
[13] a más tardar	at the latest	au plus tard	spätestens
[14] demorar	to take	retarder	dauern

Una historia de amor

[1] portal *m.*	gate	portail	Tor, Portal
[2] esbelto/-a	slim	svelte	schlank

4. Del exilio al éxito

[1] censura *f.*	censorship	censure	Zensur
[2] juntar	to gather	rassembler / se rassembler	sammeln
[3] perfil *m.*	profile	point de vue	Porträt
[4] guion *m.*	script	texte	Drehbuch
[5] hacerse cargo	to take charge	prendre en charge	übernehmen
[6] lograr	to achieve	réussir à	schaffen, erreichen
[7] fiar	to give credit	faire crédit	auf Kredit verkaufen, jemanden Glauben schenken

Un manuscrito con historia

[1] ejemplar *m.*	book	exemplaire	Exemplar
[2] balanza *f.*	scales	balance	Waage
[3] billete *m.*	bill (of money)	billet	Geldschein
[4] suelto/-a	loose	petite	Kleingeld

ESPAÑOL	INGLÉS	FRANCÉS	ALEMÁN

5. Un Nobel colombiano

[1] aplaudir	to applaud	applaudir	applaudieren
[2] coincidir	to coincide	coincider	zusammentreffen, überschneiden
[3] incluso	even	même / y compris	sogar
[4] apoyar	to support	soutenir	unterstützen
[5] permanecer	to stay	rester	bleiben
[6] perseguir	to chase	poursuivre	verfolgen
[7] acusar	to blame	accuser	beschuldigen
[8] punto de partida m.	startpoint	point de départ	Ausgangspunkt
[9] cientos	hundreds	centaines	Hunderte
[10] milagroso/-a	miraculous	miraculeux	wunderbar
[11] cocer	to cook	cuisiner	kochen
[12] garbanzo m.	chickpea	pois chiche	Kichererbse

El «boom»

[1] compartir	to share	partager	aufteilen
[2] fraternidad f.	group	fraternité	Verein, Bruderschaft
[3] afablemente	friendly	amicalement	freundlich

6. Amor, realidad y política

[1] colgado/-a	hanging	pendu/-e	hängend
[2] desafío m.	challenge	défi	Herausforderung
[3] palpable	tangible	palpable	greifbar, spürbar
[4] sufrir	to suffer	souffrir	leiden
[5] destruir	to destroy	détruire	zerstören
[6] polémico/-a	controversial	polémique	umstritten
[7] entregarse	to surrender	se rendre	sich ergeben
[8] extradición f.	extradition	extradition	Auslieferung
[9] revelar	to reveal	révéler	enthüllen
[10] tumba f.	grave	tombe	Grab
[11] calavera f.	skull	crâne	Totenkopf

ESPAÑOL	INGLÉS	FRANCÉS	ALEMÁN
[12] temor *m.*	fear	peur	Angst
[13] reducir	to reduce	réduire	einschränken

¡Avajo la hortografía!

[1] enriquecer	to make richer	enrichir	bereichern
[2] jubilar	to retire	partir à la retraite	in Pension gehen
[3] cuna *f.*	cot	berceau	Wiege
[4] enterrar	to bury	enterrer	begraben

7. En boca de otros

[1] legendario/-a	legendary	légendaire	legendär
[2] acompañar	to accompany	accompagner	begleiten
[3] prosperar	to grow	prospérer	Erfolg haben
[4] ruin	despicable	méprisable	niederträchtig
[5] vecino/-a	neighbour	voisin/-ne	Nachbar
[6] tipo/-a	guy	type	Typ, Type
[7] puñetazo *m.*	punch	coup de poing	Faustschlag
[8] regañar	to nag	reprimender	schimpfen
[9] representante	agent	représentant/-e	Agent
[10] de buenas a primeras	all of a sudden	soudainement	plötzlich

Gabo y después

[1] losa *f.*	slab	dalle	Platte
[2] sombra *f.*	shadow	ombre	Schatten

actividades

Cómo trabajar con este libro

Grandes Personajes es una serie de biografías de personajes de la cultura del mundo hispanohablante. Cada libro está escrito en forma de reportaje y narra la vida de la persona desde su nacimiento hasta su muerte.

Para facilitar la lectura, al final de cada página hay un glosario en español con las palabras y expresiones más difíciles. Además, se incluyen varios recuadros que aportan información adicional sobre un tema relacionado con el capítulo al que acompañan. Al final del libro hay además un glosario en inglés, francés y alemán y notas culturales sobre algunos conceptos del mundo del español que aparecen en el texto.

El libro se complementa con una sección de actividades que tiene la siguiente estructura:

a) «Antes de leer». **Recomendamos realizar las actividades de esta sección antes de empezar a leer el texto**, ya que ayudarán a activar los conocimientos que tiene el lector sobre el tema y facilitarán la comprensión.

b) «Durante la lectura». Son **actividades destinadas a pautar la comprensión** de los diferentes capítulos y a ejercitar la comprensión auditiva mediante el trabajo con el audio.

c) «Después de leer». Se trata de propuestas variadas que **permiten poner en práctica la comprensión auditiva y de lectura, la expresión oral y escrita, la interacción oral y escrita y la mediación**. Tienen un carácter predominantemente abierto para que el propio lector (o el profesor que lee el libro con sus alumnos) pueda decidir cómo trabajar con ellas según sus necesidades. En muchas de ellas se propone un repaso al contenido del libro. En cada caso, **el lector puede decidir si vuelve a leer el fragmento en cuestión o prefiere escuchar la grabación correspondiente**.

Igualmente, puede decidir si hace las actividades por escrito o de forma oral, en interacción con otros hablantes.

d) «Léxico». Actividades para la **sistematización, la profundización y la ampliación del vocabulario**. Se tiene en cuenta que cada hablante tiene unos intereses y un bagaje personal específicos. Por eso se combinan actividades de respuesta cerrada con actividades más abiertas.

e) La sección «Internet» propone **actividades que implican el uso de la red**.

f) Por último, se facilitan las soluciones de las actividades de respuesta cerrada y propuestas de solución para algunas actividades de carácter más abierto.

ANTES DE LEER

1. ¿Cuáles de las siguientes palabras relacionas con Gabriel García Márquez? Al final del libro, vuelve a la actividad y corrige tus respuestas, si es necesario.

literatura	periodismo
pintura	premio Nobel
Colombia	polémica
tecnología	Latinoamérica

2. Mira las fotografías del libro y escoge una que te gusta o interesa. Escribe por qué y qué relación crees que tiene con García Márquez.

DURANTE LA LECTURA

Introducción

3. En el texto se da información sobre la vida de García Márquez. Anota las palabras clave al lado de cada aspecto.

El lugar donde nació

Su imagen de América Latina

Sus ideas políticas

Sus libros

Sus viajes

4. ¿Cómo se llamó el fenómeno literario al que pertenece su obra?

5. ¿Qué otra profesión ejerció García Márquez, además de la literatura?

Capítulo 1

6. ¿Cómo era Gabriel García Márquez de pequeño? ¿Qué cosas le gustaban e interesaban? ¿Y a ti?

7. «Fue como asomarme al mundo entero por primera vez». ¿Qué objeto llevó al escritor a decir esta frase?

8. ¿Le interesaba a Gabriel la política cuando era joven? ¿Qué actividades realizaba?

Capítulo 2

9. Lee las frases y decide si son verdaderas (V), falsas (F) o no hay suficiente información (S/I).

a. Publicó su primer cuento en una editorial de Bogotá.	V	F	S/I
b. Ganó el premio al mejor estudiante de Derecho de Bogotá.	V	F	S/I
c. Una entrevista inusual lo hizo reflexionar sobre el periodismo.	V	F	S/I
d. El «Bogotazo» empezó con un poema.	V	F	S/I
e. Juan Roa Sierra era comunista.	V	F	S/I
f. Gabo se fue a Cartagena cuando comenzaron los problemas en Bogotá.	V	F	S/I

Capítulo 3

10. Completa las frases.

a. En El Heraldo, el autor publicaba

b. La vida de Gabo no era fácil porque

c. El regreso a Aracataca le dio la idea de

d. Gabriel y Mercedes tenían en común

e. En 1953, Laureano Gómez

f. Gabo viajó a Europa para

Capítulo 4

11. ¿Cómo era la vida de Gabo en París aquellos años?

12. Escucha la historia del manuscrito de *Cien años de soledad* en la pista 09. ¿A qué ciudad querían enviar el manuscrito? ¿Qué decidieron hacer Gabo y Mercedes al conocer el precio del envío? ¿Cuál es el detalle divertido de esta historia?

Capítulo 5

13. ¿Qué fue «el boom» latinoamericano?

14. *El otoño del patriarca* tiene un formato original: está escrito en pocas frases, en párrafos muy largos. ¿De qué trata la historia? ¿Te parece interesante el tema?

Capítulo 6

15. ¿De qué trata *El general en su laberinto* y por qué fue tan importante?

16. Explica con tus palabras el elemento fantástico de la historia del convento de Santa Clara. ¿En qué libro aparece?

Capítulo 7

17. ¿Conoces a alguno de los amigos de Gabo? ¿Cuáles te interesan?

18. En tu país, ¿hay algún escritor tan importante como García Márquez? ¿Quién es?

DESPUÉS DE LEER

19. Vuelve a leer las palabras que marcaste al leer la introducción. ¿Marcarías otras?

20. ¿Te gustaría leer los libros de Gabriel García Márquez? ¿Por qué? ¿Por cuál te gustaría empezar?

21. Compara estos aspectos de la vida de Gabriel García Márquez con tu vida.
¿Qué cosas tenéis en común y cuáles son diferentes?

	Gabriel García Márquez	Yo
a. Desde pequeño sabía qué quería hacer.		
b. Tuvo una infancia difícil.		
c. Tenía amigos famosos.		
d. Era creativo y disciplinado.		
e. Vivió fuera de su país.		

LÉXICO

22. Una de las características fundamentales de Gabo fue su pasión por escribir.
¿Qué asocias con eso después de leer el libro? Completa este mapa mental.

periodismo

pasión por escribir

23. Ahora crea dos mapas más sobre otros temas del libro, como «política»,
«amistad», «viajes» u otro tema interesante para ti.

24. ¿Qué cita del libro te ha llamado la atención y por qué?

INTERNET

25. Busca en internet fotografías sobre Aracataca, la ciudad donde nació Gabriel
García Márquez. ¿Cómo es? ¿Cómo te imaginas la vida allí?

SOLUCIONES

2. Literatura, Colombia, periodismo, premio Nobel, polémica, Latinoamérica.

3. (Propuesta de solución)

El lugar donde nació: Aracataca, un pueblo en la región caribeña de Colombia.

Su imagen de América latina: Una región con una identidad propia.

Sus ideas políticas: Socialismo, Fidel Castro, Salvador Allende.

Sus libros: *Vivir para contarla, Cien años de soledad* y otros.

Sus viajes: Europa, México, Cuba, etc.

4. El «boom» latinoamericano.

5. El periodismo.

6. Era un niño curioso. Le interesaban la música y las historias.

7. El primer diccionario que tuvo en sus manos.

8. Le interesaba la política y escribía en el periódico de la escuela. También iba a manifestaciones.

9. a. F. b. S/I. c. V. d. F. e. S/I. f. V.

10. (Propuesta de solución)

a. ...cuentos, artículos cortos y críticas de cine.

b. ...tenía poco dinero y estaba solo.

c. ...escribir una novela sobre la historia de su familia.

d. ...la pasión por el baile.

e. ...dejó el gobierno de Colombia después de un golpe de estado.

f. ...escribir sobre un acto político.

11. No tenía un trabajo fijo, vivía en un hotel que pagaba con la ayuda de sus amigos y escribía una novela sobre Simón Bolívar.

12. Querían enviarlo a Buenos Aires, pero no tenían dinero para enviar todo el manuscrito. Por eso, enviaron solo la mitad. El detalle divertido es que enviaron la segunda parte de la novela, no la primera.

13. Fue un fenómeno editorial y literario de los años 1960 y 1970.

14. Trata sobre un dictador latinoamericano.

15. Trata de los últimos años Simón Bolívar. Fue importante porque Gabo escribió sobre el aspecto humano de Bolívar.

16. El elemento fantástico consiste en que el pelo de una calavera tiene más de 22 metros de largo. Aparece en el libro *Del amor y otros demonios*.

MP3
descargable
difusion.com/mp3-marquez

¿Quieres leer más?

Lorca
LA VALIENTE ALEGRÍA

Che
GEOGRAFÍAS DEL CHE

Frida Kahlo
VIVA LA VIDA